KB087038

도형 학습의 기준

플라토
PLATO

F4

공간지각 | 초6

사고가 자라는 수학
씨투엠

플라토가 제안하는 도형 학습법

도형 학습지 플라토를 처음 기획하던 때의 기억이 선명하네요. 처음에는 아이들에게 그다지 필요하지 않을 거라 생각해서 소수의 학원에서만 풀리는 교재로 생각했는데 교재가 모양을 갖추어가자 점점 모든 아이들이 즐겁게 도형을 풀 수 있는 책이 만들어질 거라는 확신이 들었지요.

처음 교재를 쓰면서 놓치지 않고 싶었던 콘셉트는 딱 이거였어요.
"쉽고! 가볍게!"
쉬운 교재를 쓴다는 것이 결코 쉽지 않았답니다. 쓰다 보면 어느새 높은 수준의 공간 감각을 요구하는 어려운 문제가 막 튀어나오고 난리도 아니었지요. 그럴 때마다 '아니야, 이 책은 정말 쉽고 가벼워야 해. 아이들이 술술 풀 수 있는 학습지여야 한다고!' 하며 다시 마음을 다잡고 어려운 문제를 빼고 다시 쓰기를 반복했답니다.

우여곡절 끝에 나온 '플라토'를 지난 6년 정도의 시간 동안 정말 깜짝 놀랄 만큼 많은 아이들이 선택하여 풀게 되었지요. 처음 생각했던 가볍고 쉬운 도형 학습지라는 콘셉트가 많은 부모와 아이들에게 받아들여졌다는 사실이 저자로서 무척이나 기쁘고 정말 뿌듯하답니다. 플라토가 단순히 도형을 체계적으로 학습하기 위한 학습지라는 개념을 넘어, 아이들이 도형, 더 나아가 수학에 대한 자신감을 가질 수 있게 하는 수학 학습의 시작점이 되었다는 사실이 무엇보다 자랑스럽습니다.

아이들을 위한 수학책을 집필하면서 수학 때문에 힘들어하는 아이들에게 또 하나의 짐을 더 지워주는 것이 아닌가 하는 걱정이 있었어요. 도형 학습지 플라토가 초등 도형 학습이라는 새로운 영역을 개척하며 점점 성장하는 것과 함께 어쩌면 도형도 따로 공부해야 한다는 또 다른 짐이 되어버린 것 같아 아쉽기도 했지요. 하지만 지난 몇 년간 플라토를 푼 많은 아이들이 올려준 후기를 보면서 저희의 걱정이 지나쳤다는 확신이 생겼답니다. 플라토를 푼 아이들, 플라토로 수학을 시작한 아이들은 수학이 괴롭고 힘들다는 인식 대신, 수학을 가볍고 부담 없고 만만한 것으로 받아들이게 되는 과정을 몸소 보여주었어요. 이것은 저희가 처음에 플라토를 기획했던 때에 기대했던 반응과 효과를 넘어선 정말 커다란 수학 학습의 변화라고 자평한답니다.

많은 사랑을 받았던 플라토가 이제, 플라토를 접한 이들의 소중한 피드백과 함께 새로운 개정판으로 다시 태어났어요. 원래 플라토가 가지고 있던 장점은 그대로 가진 채, 좀 더 예뻐지고, 좀 더 친절해지고, 좀 더 풍성해진 모습으로 다시 한번 아이들에게 다가가려 합니다. 이러한 작은 변화가 아무쪼록 여전히 수학, 그리고 도형으로 고민하는 많은 부모와 아이들에게 기쁜 소식이 되었으면 해요.

새로운 플라토, 잘 부탁드리고, 또 많은 관심과 의견 보내주시면 정말 고마울 거예요.

2022년 지식과상상연구소 드림

도형학습, 자주 묻는 질문과 답변

질문 1 도형 학습 반드시 필요할까요? 또는 어떤 아이들에게 필요할까요?

도형 영역의 성취도가 다른 영역에 비해 확연하게 높은 아이들과 선천적으로 공감 감각이 뛰어난 친구에게는 필요하지 않겠지요. 그러나 초등학교의 도형 학습은 단원 간 시간 간격이 상당히 크기 때문에 아이들이 도형의 기본 개념을 연계하여 학습하지 못하는 어려움이 있고, 이러한 어려움이 누적되면 훨씬 어려운 중학교 도형 영역에서 힘들어하는 경우가 많답니다. 이 때문에 좀 더 도형을 체계적으로 꾸준하게 하고 싶다는 아이들에게는 반드시 추천합니다.

특히 도형을 어려워하거나 싫어하는 친구들에게 플라토는 특효약이 될 수도 있다는 점 잊지 마세요.

질문 2 도형 학습은 교구가 반드시 필요한가요?

영유아기에 도형 교구를 다루어 본 아이들과 그렇지 않은 아이들은 초등 단계에서 유의미한 도형 학습의 성취도 차이를 보이기는 합니다. 그러므로 3세~7세의 아이들에게 도형 교구를 노출시켜주어야 한다고 생각해요. 유아 단계에서는 놀이를 중심으로 한 교구 학습을 추천하고, 플라토를 시작하고 진행하는 단계에서는 교구를 도형 학습의 보조 도구로 활용하는 것이 좋을 것 같습니다. 예를 들어 플라토를 풀다가 거울에 비친 모양을 어려워한다면 거울 교구를, 칠교를 어려워한다면 칠교 교구를 직접 만지면서 문제를 푸는 것이 학습 효과를 높일 수 있지요. 플라토 개정판에서는 연관 교구를 표시해 두었고, 일부 교구재를 교재와 함께 제공하고 있습니다.

질문 3 반드시 추천하는 도형 교구가 있나요?

반드시 필요한 도형 교구라면 교과서에 등장하는 도형 교구라고 생각해요. 패턴블록, 거울(리플렉터), 칠교, 펜토미노, 쌓기나무, 입체 모형, 지오보드 등이 교과서에 빠지지 않고 등장하는 교구이지요. 이러한 교구를 한 번에 묶어서 구성해 놓은 것이 플라토 주머니랍니다. 필요하신 분은 검색해 보세요!

질문 4 아이가 플라토를 너무 빨리 풀어요. 어떻게 해야 할까요?

입문 단계의 플라토는 정말 쉽게 만들었기 때문에 어떤 아이들은 한 달 분량의 교재를 1주일이나 빠르게는 2~3일 만에 풀곤 한답니다. 아이가 학습지를 스스로의 의지로 빨리 풀어낸다는 것은 좋은 일이지요. 칭찬해 주어야 마땅합니다. 6세~2학년 정도까지는 도형 학습에 있어 좀 더 윗 단계를 푸는 것도 크게 어렵지 않습니다. 그래서 아이 연령에서 2단계~3단계 위까지는 아이가 속도감 있게 풀면서 쭉 나가주어도 괜찮아요. 그러다가 아이들이 학교에서 배워야만 풀 수 있는 주제가 나올 때 잠시 멈추고 연산/사고력 문제집을 풀게 하는 것이 좋습니다. 윗 단계의 도형 학습을 수월하게 진행하려면 연산 학습과 사고력 학습도 같이 진행하는 것이 좋기 때문입니다.

질문 5 플라토만으로 도형 학습을 다 했다고 할 수 있을까요? 너무 쉬운 문제만 푸는 게 아닐까 불안해요.

플라토는 분명 쉬운 교재이지만 초등 수학 수준에 필요한 난이도의 도형 문항은 모두 수록되어 있답니다. 하지만 아이들에 따라 도형 학습에 재미를 붙이는 단계에서 좀 더 수준 높은 문제로 공간 감각과 사고력을 키우고 싶을 수도 있지요. 이런 경우 사고력수학 교재의 도형 영역으로 좀 더 심화된 학습을 하는 것을 추천합니다. 또한 우리 플라토도 좀 더 확장된 도형 학습을 필요로 하는 아이들을 위한 심화 교재를 준비하고 있으니 기대해주세요!

플라토 전체 커리

교재		S(6세)	P(7세)	A(초등학교 1학년)
1권 평면규칙	1주차	점과 선	도형 그리기	점과 선의 수
	2주차	똑같은 모양	같은 도형	여러 가지 도형
	3주차	도형 세기	도형 세기	도형 세기
	4주차	도형 규칙	도형 규칙	도형 규칙
2권 도형조작	1주차	길이 비교	같은 길이	넓이 비교
	2주차	모양 붙이기	세모 붙이기	패턴블록
	3주차	모양 자르기	네모 붙이기	도형 돌리기
	4주차	거울과 위치	거울에 비친 도형	모양 만들기
3권 입체설계	1주차	입체 모양 관찰	입체도형 관찰	입체도형 연구
	2주차	블록 모양 만들기	블록 모양 만들기	여러 가지 입체
	3주차	쌓기나무	쌓기나무	쌓기나무 세기
	4주차	입체도형 세기	층층 쌓기	입체도형 추리
4권 공간지각	1주차	잘라내기	구멍난 종이	구멍난 종이
	2주차	종이 접기	종이 접기	접고 잘라내기
	3주차	투명 종이 겹치기	여러 방향 관찰	여러 방향 관찰
	4주차	모양 겹치기	도형 겹치기	겹친 실루엣

B(초등학교 2학년)	C(초등학교 3학년)	D(초등학교 4학년)	E(초등학교 5학년)	F(초등학교 6학년)
원과 다각형	직선과 각	각도기와 각	다각형의 둘레	원주와 원주율
도형 그리기	직각이 있는 도형	삼각형	합동	원을 이용한 길이
도형 세기	도형 그리기	수직과 평행	선대칭	원의 넓이
점판 그리기	패턴 무늬	다각형	점대칭	원을 이용한 넓이
길이 재기	밀기와 뒤집기	도형의 각	직사각형의 넓이	직육면체의 겉넓이
칠교판	돌리기	삼각형의 성질	평행사변형, 삼각형의 넓이	직육면체의 부피(1)
길이의 합과 차	도형의 이동	사각형의 성질	사다리꼴, 마름모의 넓이	직육면체의 부피(2)
모양 만들기	원과 길이	선 긋기와 각	다각형의 넓이	원기둥의 겉넓이와 부피
입체도형 연구	쌓기나무 그리기	입체 찍기	직육면체	각기둥
본뜬 모양	쌓기나무 세기	입체도형 포장	직육면체의 전개도	각뿔
쌓기나무 발자국	입체의 부피	쌓기나무 포장	전개도 그리기	전개도
쌓기나무 세기	큐브 블록	포장 종이 잇기	전개도와 대각선	원기둥, 원뿔, 구
색종이 공예	색종이 공예	점의 이동	점의 이동	쌓기나무의 수
여러 방향 쌓기	구멍난 종이	모양과 점의 이동	모양과 점의 이동	위, 앞, 옆 모양
투명 종이 겹치기	여러 방향 관찰	같은 모양, 다른 모양	주사위	위, 앞, 옆과 수
그림자 추리	색종이 겹치기	정다각형을 붙인 모양	뚜껑이 없는 상자	큐브 연결

이 책의
목차

1 주차

쌓기나무의 수

바닥에 닿는 면

✏️ 쌓기나무의 바닥에 닿는 면의 모양을 찾아 ◯표 하시오.

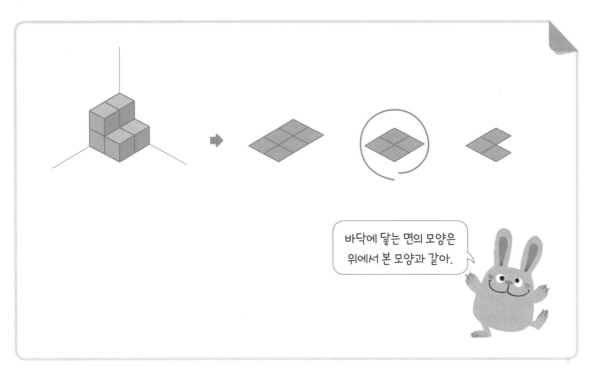

바닥에 닿는 면의 모양은
위에서 본 모양과 같아.

1

2

3

4

5

6

쌓은 모양 찾기

바닥에 닿는 면 위에 각 자리에 쌓는 쌓기나무의 수를 적었습니다. 만들어진 모양을 찾아 ◯표 하시오.

1

2

3

4

5

6

자리별로 세기

✏️ 바닥에 닿는 면 위에 각 자리에 쌓인 쌓기나무의 수를 각각 쓰고, 전체 쌓기나무의 수를 ☐ 안에 써넣으시오.

바닥에 닿는 면의 모양을 보면 보이지 않는 부분에 쌓기나무가 있는지 없는지 알 수 있어.

각 자리에 쌓인 쌓기나무의 수를 모두 더하면 전체 쌓기나무의 수입니다.
$3 + 2 + 2 + 1 + 1 = 9$(개)

1

☐ 개

2

☐ 개

3

☐ 개

4

☐ 개

5

◻ 개

6

◻ 개

7

◻ 개

8

◻ 개

9

◻ 개

10

◻ 개

층별로 세기

각 층에 쌓인 쌓기나무의 수를 각각 쓰고, 전체 쌓기나무의 수를 □ 안에 써넣으시오.

3층: ┃ 개

2층: 4 개

1층: 6 개 ➡ 모두 ┃┃ 개

바닥에 닿는 면의 수와 1층에 쌓인 쌓기나무의 수는 같아. 중간 층을 셀 때는 보이지 않는 쌓기나무도 생각해야 해.

층별로 쌓기나무의 수를 모두 더하면 전체 쌓기나무의 수입니다.
6+4+1=11(개)

1

2층: [ ] 개

1층: [ ] 개 ➡ 모두 [ ] 개

2

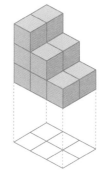

3층: [ ] 개

2층: [ ] 개

1층: [ ] 개 ➡ 모두 [ ] 개

3

4층: ☐ 개

3층: ☐ 개

2층: ☐ 개

1층: ☐ 개 ➡ 모두 ☐ 개

4

3층: ☐ 개

2층: ☐ 개

1층: ☐ 개 ➡ 모두 ☐ 개

5

3층: ☐ 개

2층: ☐ 개

1층: ☐ 개 ➡ 모두 ☐ 개

6

3층: ☐ 개

2층: ☐ 개

1층: ☐ 개 ➡ 모두 ☐ 개

똑같은 모양을 만들기 위해 필요한 쌓기나무의 수를 □ 안에 써넣으시오.

자리별로 세기

8 개

각 자리에 쌓인 쌓기나무의 수를
모두 더하면 전체 쌓기나무의 수입니다.
3+2+1+1+1=8(개)

층별로 세기

3층: 1개
2층: 2개
1층: 5개

8 개

층별로 쌓인 쌓기나무의 수를
모두 더하면 전체 쌓기나무의 수입니다.
5+2+1=8(개)

바닥에 닿는 면의 모양을
보고 보이지 않는 쌓기나무가
있는지 생각해야 해.

1

□ 개

2

□ 개

3

□ 개

4

□ 개

5

□ 개

6

□ 개

7

□ 개

8

□ 개

9

□ 개

✏️ 쌓기나무의 바닥에 닿는 면의 모양을 찾아 ○표 하시오.

1

2

✏️ 바닥에 닿는 면 위에 각 자리에 쌓는 쌓기나무의 수를 적었습니다. 만들어진 모양을 찾아
○표 하시오.

3

✏️ 바닥에 닿는 면 위에 각 자리에 쌓인 쌓기나무의 수를 각각 쓰고, 전체 쌓기나무의 수를 ☐ 안에 써넣으시오.

4

☐ 개

5

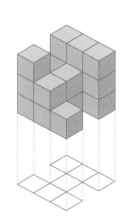

☐ 개

✏️ 각 층에 쌓인 쌓기나무의 수를 각각 쓰고, 전체 쌓기나무의 수를 ☐ 안에 써넣으시오.

6

3층: ☐ 개

2층: ☐ 개

1층: ☐ 개 ➡️ 모두 ☐ 개

7

4층: ☐ 개

3층: ☐ 개

2층: ☐ 개

1층: ☐ 개 ➡️ 모두 ☐ 개

2 주차

위, 앞, 옆 모양

✏️ 쌓기나무로 쌓은 모양을 보고 위, 앞, 옆에서 본 모양을 찾아 선으로 이어 보시오.

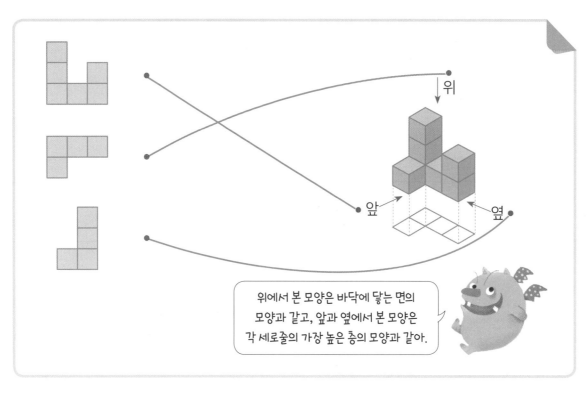

위에서 본 모양은 바닥에 닿는 면의
모양과 같고, 앞과 옆에서 본 모양은
각 세로줄의 가장 높은 층의 모양과 같아.

1

2

3

4

   •

5

   •

6

   •

7

   •

8

   •

9

   •

위, 앞, 옆 그리기

✏️ 쌓기나무로 쌓은 모양을 보고 위, 앞, 옆에서 본 모양을 그려 보시오.

위, 앞, 옆에서 직선 방향으로
보기 때문에 쌓기나무의 한 면은
정사각형으로 그려야 해.

1

2

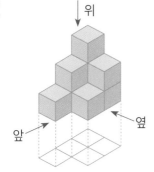

위		앞		옆	

3

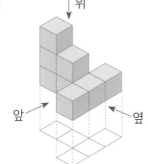

위		앞		옆	

4

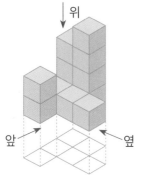

위		앞		옆	

쌓기나무로 쌓은 모양(1)

✏️ 위, 앞, 옆에서 본 그림을 보고 전체 모양을 찾아 ○표 하시오.

1

2

위	앞	옆

   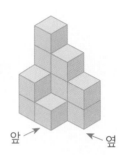

3

위	앞	옆

자리별로 쌓기

✏️ 위에서 본 모양입니다. ☐ 안에 각 자리에 쌓은 쌓기나무의 수를 써넣으시오.

1

2

3

4

5

위

옆

앞

6

위

옆

앞

7

위

옆

앞

8

위

옆

앞

9

위

옆

앞

10

위

옆

앞

5일 쌓기나무로 쌓은 모양(2)

□ 안의 수는 각 자리에 쌓아 올린 쌓기나무의 수입니다. 만들어진 모양에 ◯표 하시오.

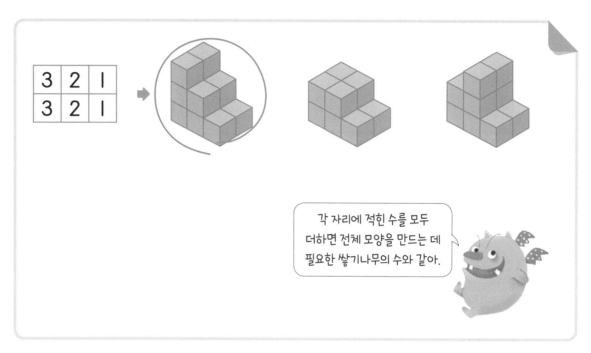

3	2	1
3	2	1

각 자리에 적힌 수를 모두 더하면 전체 모양을 만드는 데 필요한 쌓기나무의 수와 같아.

1

3	1	3
		1

2

3	2
1	1
2	1

3

2	1	2
2	1	1
	1	

4

3	1	
2	2	1

5

2	1	
3	2	1
2		

6

	3	1
3	2	1
1	1	

✏️ 쌓기나무로 쌓은 모양을 보고 위, 앞, 옆에서 본 모양을 그려 보시오.

1

위

앞   옆

| 위 | 앞 | 옆 |

옆

앞

✏️ 위, 앞, 옆에서 본 그림을 보고 전체 모양을 찾아 ◯표 하시오.

2

위   앞   옆

옆

앞

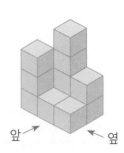

앞   옆   앞   옆   앞   옆   앞   옆

✏️ 위에서 본 모양입니다. ☐ 안에 각 자리에 쌓은 쌓기나무의 수를 써넣으시오.

3

4

✏️ ☐ 안의 수는 각 자리에 쌓아 올린 쌓기나무의 수입니다. 만들어진 모양에 ◯표 하시오.

5

3	2	1
2		
2		

6

		2
	3	1
1	1	1

3 주차

위, 앞, 옆과 수

앞, 옆 그리기

□ 안의 수는 각 자리에 쌓아 올린 쌓기나무의 수입니다. 앞과 옆에서 본 모양을 그려 보시오.

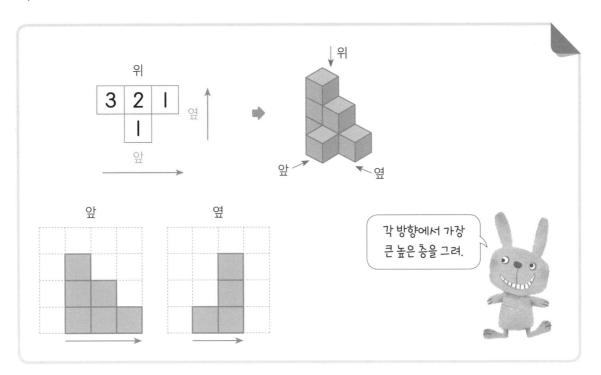

각 방향에서 가장 큰 높은 층을 그려.

1

앞　　　옆

2

앞　　　옆

3

앞	옆

4

앞	옆

5

앞	옆

6

앞	옆

자리별로 쌓기

쌓기나무로 쌓은 모양을 위, 앞, 옆에서 본 그림입니다. ☐ 안에 각 자리에 쌓은 쌓기나무의 수를 써넣으시오.

자리별로 쌓은 쌓기나무의 수 구하는 방법

층수가 |인 줄과 한 줄에 한 칸만 있는 줄의 빈칸을 먼저 채워.

위에서 본 모양에 앞과 옆에서 본 모양의 층수를 자리에 맞게 씁니다.

층수가 |이면 그 줄은 모두 |층이고, 앞, 옆에서 볼 때 줄에 |칸만 있는 경우 줄의 층수를 그 칸에 씁니다.

층수를 비교하여 남은 칸을 채웁니다.

1

2

3

4

5

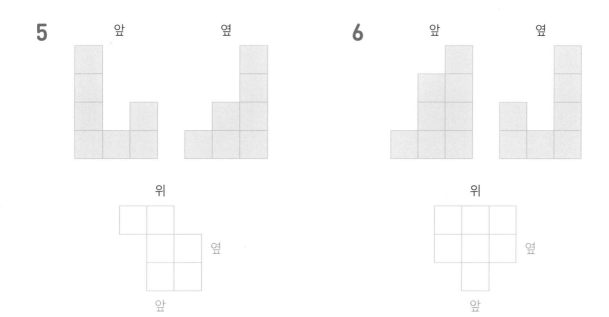

6

3일 쌓기나무의 수(1)

✏️ 쌓기나무로 쌓은 모양을 위, 앞, 옆에서 본 그림입니다. 전체 모양을 쌓기 위해 필요한 쌓기나무의 수를 ☐ 안에 써넣으시오.

위에서 본 모양의 ☐ 안에 각 자리에 쌓은 쌓기나무의 수를 쓴 다음, 각 자리의 수를 모두 더합니다.

$3+2+1+1=7$(개)

> 위에서 본 모양의 칸 안에 각 자리에 쌓은 쌓기나무의 수를 써넣어.

1

☐ 개

2

☐ 개

3

위　　　　　앞　　　　　옆

옆

앞

☐ 개

4

위　　　　　앞　　　　　옆

옆

앞

☐ 개

5

위　　　　　앞　　　　　옆

옆

앞

☐ 개

6

위　　　　　앞　　　　　옆

옆

앞

☐ 개

쌓기나무의 수(2)

✏️ 쌓기나무로 쌓은 모양을 위, 앞, 옆에서 본 그림입니다. 전체 모양을 쌓기 위해 필요한 쌓기나무의 수를 ☐ 안에 써넣으시오.

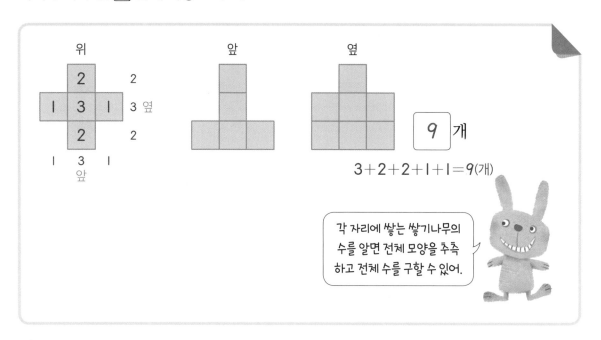

3+2+2+1+1=9(개)

각 자리에 쌓는 쌓기나무의
수를 알면 전체 모양을 추측
하고 전체 수를 구할 수 있어.

1

☐ 개

2

☐ 개

3

위   앞   옆

옆

앞

◻ 개

4

위   앞   옆

옆

앞

◻ 개

5

위   앞   옆

옆

앞

◻ 개

6

위   앞   옆

옆

앞

◻ 개

✏️ 쌓기나무로 쌓은 모양을 위, 앞, 옆에서 본 그림입니다. 쌓은 쌓기나무의 수가 가장 많은 경우와 가장 적은 경우를 구해 ☐ 안에 써넣으시오.

구할 수 있는 자리의 수를 구한 다음, 남은 자리에 들어 갈 수 있는 수를 모두 알아봐.

1

가장 많은 경우: ☐ 개

가장 적은 경우: ☐ 개

2

가장 많은 경우: ☐ 개

가장 적은 경우: ☐ 개

3

위　　　　　　앞　　　　　　옆

옆

앞

가장 많은 경우: ☐ 개

가장 적은 경우: ☐ 개

4

위　　　　　　앞　　　　　　옆

옆

앞

가장 많은 경우: ☐ 개

가장 적은 경우: ☐ 개

5

위　　　　　　앞　　　　　　옆

옆

앞

가장 많은 경우: ☐ 개

가장 적은 경우: ☐ 개

6

위　　　　　　앞　　　　　　옆

옆

앞

가장 많은 경우: ☐ 개

가장 적은 경우: ☐ 개

✏️ ☐ 안의 수는 각 자리에 쌓아 올린 쌓기나무의 수입니다. 앞과 옆에서 본 모양을 그려 보시오.

1

위

2	3	3
1		2

옆

앞

2

위

앞

옆

앞	옆

✏️ 쌓기나무로 쌓은 모양을 위, 앞, 옆에서 본 그림입니다. ☐ 안에 각 자리에 쌓은 쌓기나무의 수를 써넣으시오.

3

앞　　옆

위

옆

앞

4

앞　　옆

위

옆

앞

✏️ 쌓기나무로 쌓은 모양을 위, 앞, 옆에서 본 모양을 보고 전체 모양을 쌓기 위해 필요한 쌓기나무의 수를 ☐ 안에 써넣으시오.

5

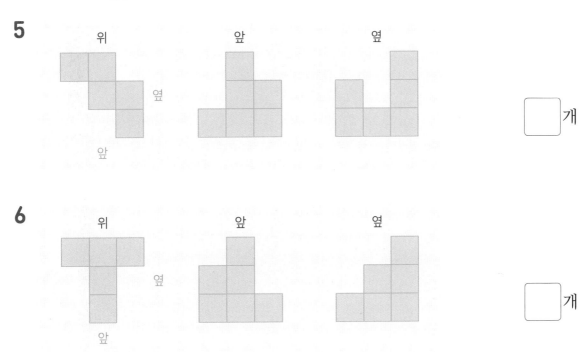

☐개

6

☐개

✏️ 쌓기나무로 쌓은 모양을 위, 앞, 옆에서 본 그림입니다. 쌓은 쌓기나무의 수가 가장 많은 경우와 가장 적은 경우를 구해 ☐ 안에 써넣으시오.

7

가장 많은 경우: ☐개

가장 적은 경우: ☐개

4주차

큐브 연결

1일 큐브 붙이기

✏️ 쌓기나무 1개를 더 붙여서 만들 수 없는 모양에 ✕표 하시오.

1

2

3

4

5

6

같은 모양 찾기

돌리거나 뒤집었을 때 왼쪽과 같은 모양이 되는 것에 ◯표 하시오.

ㄱ자 모양의 가운데 위에
쌓기나무 1개가 있습니다.

ㄱ자 모양에 쌓기나무
2개가 더 있습니다.

ㄱ자 모양의 끝에 쌓기
나무 1개가 더 있습니다.

아래 두 모양은 다른 모양이야.
돌리거나 뒤집어도 겹쳐지지 않아.

≠

1

2

3

4

5

6

같은 모양 만들기

돌리거나 뒤집었을 때 같은 모양이 되도록 만듭니다. 보이는 면 중에서 쌓기나무 1개를 더 붙여야 할 면에 색칠하시오.

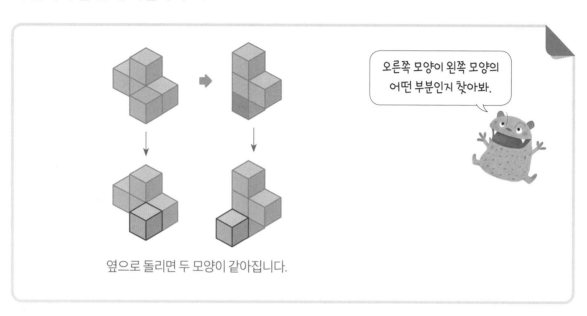

오른쪽 모양이 왼쪽 모양의 어떤 부분인지 찾아봐.

옆으로 돌리면 두 모양이 같아집니다.

1

2

3

4

5

6

7

8

9

10

11

12

2조각 붙이기

✏️ 2조각을 붙여 만들 수 없는 모양에 ✕표 하시오.

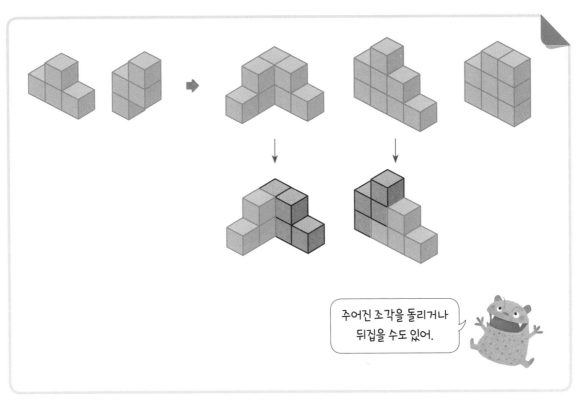

> 주어진 조각을 돌리거나 뒤집을 수도 있어.

1

2

3

4

5

6

조각 구분하기

✏️ 주어진 두 조각을 붙여 모양을 만들었습니다. 조각을 구분하여 색칠하시오.

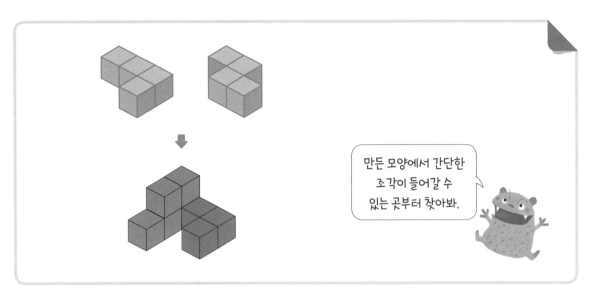

만든 모양에서 간단한 조각이 들어갈 수 있는 곳부터 찾아봐.

1

2

3

4

5

6

✏️ 쌓기나무 1개를 더 붙여서 만들 수 없는 모양에 ✕표 하시오.

1

2

✏️ 돌리거나 뒤집었을 때 같은 모양이 되도록 만듭니다. 보이는 면 중에서 쌓기나무 1개를 더 붙여야 할 면에 색칠하시오.

3

4

✏️ **2**조각을 붙여 만들 수 없는 모양에 ✕표 하시오.

5

6

✏️ 주어진 두 조각을 붙여 모양을 만들었습니다. 조각을 구분하여 색칠하시오.

7

8

형성 평가

✚ 형성 평가에는 앞서 공부한 4주 차의 유형이 순서대로 나옵니다.

✚ 문제가 틀리면 몇 주 차인지 확인하여 반드시 다시 한번 복습합니다.

✚ 똑같은 모양을 만들기 위해 필요한 쌓기나무의 수를 ☐ 안에 써넣으시오.

1

☐ 개

2

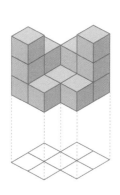

☐ 개

✚ 쌓기나무로 쌓은 모양을 보고 위, 앞, 옆에서 본 모양을 찾아 선으로 이어 보시오.

3

•

4

•

5

•

↓ 위

• 앞 → 옆 •

✦ 쌓기나무로 쌓은 모양을 위, 앞, 옆에서 본 그림입니다. ☐ 안에 각 자리에 쌓은 쌓기나무
의 수를 써넣으시오.

6
앞   옆

위

옆

앞

7
앞   옆

위

옆

앞

✦ **2**조각을 붙여 만들 수 없는 모양에 ╳표 하시오.

8

9

✚ 바닥에 닿는 면 위에 각 자리에 쌓는 쌓기나무의 수를 적었습니다. 만들어진 모양을 찾아 ○표 하시오.

1

2

✚ 위에서 본 모양입니다. □ 안에 각 자리에 쌓은 쌓기나무의 수를 써넣으시오.

3

4

✚ 쌓기나무로 쌓은 모양을 위, 앞, 옆에서 본 그림입니다. 전체 모양을 쌓기 위해 필요한 쌓기나무의 수를 ☐ 안에 써넣으시오.

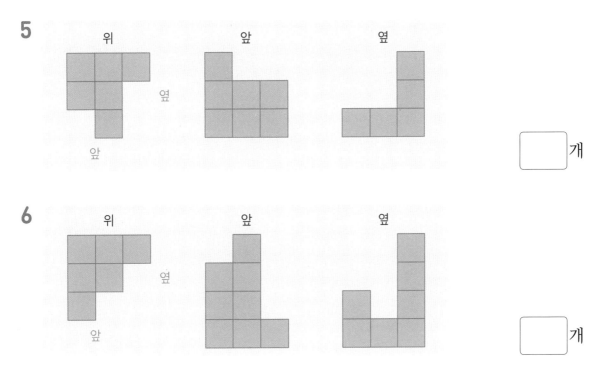

5

위   앞   옆

옆

앞

☐개

6

위   앞   옆

옆

앞

☐개

✚ 돌리거나 뒤집었을 때 같은 모양이 되도록 만듭니다. 보이는 면 중에서 쌓기나무 1개를 더 붙여야 할 면에 색칠하시오.

7

8

✚ 쌓기나무의 바닥에 닿는 면의 모양을 찾아 ◯표 하시오.

1

2

✚ ☐ 안의 수는 각 자리에 쌓아 올린 쌓기나무의 수입니다. 만들어진 모양에 ◯표 하시오.

3

3	2	1
2		1

4

3	2	1
1	2	1

✦ 쌓기나무로 쌓은 모양을 위, 앞, 옆에서 본 그림입니다. 쌓은 쌓기나무의 수가 가장 많은 경우와 가장 적은 경우를 구해 ☐ 안에 써넣으시오.

5

위   앞   옆

옆

앞

가장 많은 경우: ☐ 개

가장 적은 경우: ☐ 개

6

위   앞   옆

옆

앞

가장 많은 경우: ☐ 개

가장 적은 경우: ☐ 개

✦ 2조각을 붙여 모양을 만들었습니다. 조각을 구분하여 색칠하시오.

7

8

✚ 각 층에 쌓인 쌓기나무의 수를 각각 쓰고, 전체 쌓기나무의 수를 ☐ 안에 써넣으시오.

1

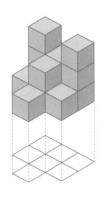

3층: ☐ 개

2층: ☐ 개

1층: ☐ 개 ➡ 모두 ☐ 개

2

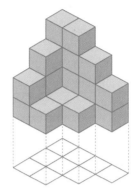

4층: ☐ 개

3층: ☐ 개

2층: ☐ 개

1층: ☐ 개 ➡ 모두 ☐ 개

✚ 쌓기나무로 쌓은 모양을 보고 위, 앞, 옆에서 본 모양을 그려 보시오.

3

위

앞

옆

✚ ☐ 안의 수는 각 자리에 쌓아 올린 쌓기나무의 수입니다. 앞과 옆에서 본 모양을 그려 보시오.

4

위

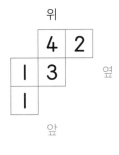

옆

앞

앞	옆

5

위

옆

앞

앞	옆

✚ 쌓기나무 1개를 더 붙여서 만들 수 없는 모양에 ✕표 하시오.

6

7

✚ 바닥에 닿는 면 위에 각 자리에 쌓인 쌓기나무의 수를 각각 쓰고, 전체 쌓기나무의 수를 ☐ 안에 써넣으시오.

1

☐ 개

2

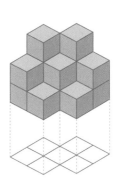

☐ 개

✚ 위, 앞, 옆에서 본 그림을 보고 전체 모양을 찾아 ◯표 하시오.

3

위

옆

앞

앞

옆

앞 → ← 옆

앞 → ← 옆

앞 → ← 옆

앞 → ← 옆

♣ 쌓기나무로 쌓은 모양을 위, 앞, 옆에서 본 그림입니다. 전체 모양을 쌓기 위해 필요한 쌓
기나무의 수를 ☐ 안에 써넣으시오.

4

위

앞

옆

☐ 개

5

위

앞

옆

☐ 개

♣ 돌리거나 뒤집었을 때 왼쪽과 같은 모양이 되는 것에 ◯표 하시오.

6

Memo

도형 학습의 기준

플라토
PLATO

F4

공간지각 | 초6

정답

사고가 자라는 수학

씨투엠

도형 학습의 기본

플라토
PLATO

F4
공간지각 | 초6

사고가 자라는 수학
씨투엠에듀

정답과 해설

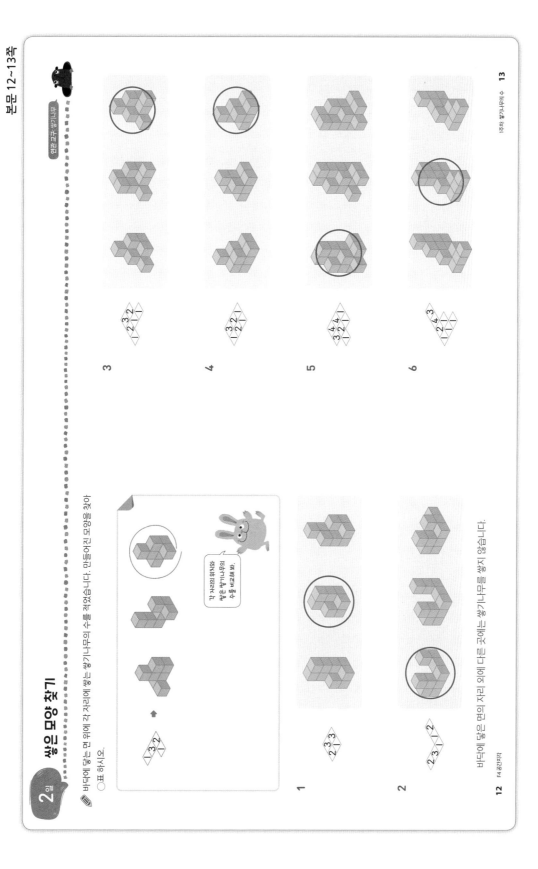

3일 자리별로 세기

바닥에 닿는 면 위에 각 자리에 쌓인 쌓기나무의 수를 각각 쓰고, 전체 쌓기나무의 수를 ☐ 안에 써넣으시오.

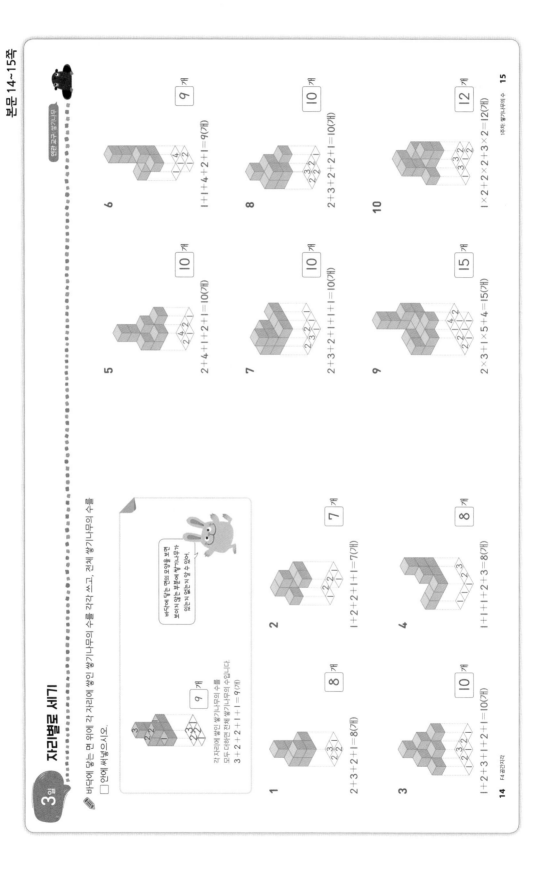

각 자리에 쌓인 쌓기나무의 수를
모두 더하면 전체 쌓기나무의 수입니다.
3+2+2+1+1=9(개)

바닥에 닿는 면 위에 쌓기나무를
몇 층으로 쌓았는지 알아보면
각 자리에 몇 개의 쌓기나무가
있는지 알 수 있어.

1 8개
2+3+2+1=8(개)

2 7개
1+2+2+1+1=7(개)

3 10개
1+2+3+1+2+1=10(개)

4 8개
1+1+1+2+3=8(개)

5 10개
2+4+1+2+1=10(개)

6 9개
1+1+4+2+1=9(개)

7 10개
2+3+2+1+1+1=10(개)

8 10개
2+3+2+2+1=10(개)

9 15개
2×3+1×5+4=15(개)

10 12개
1×2+2×2×3×2=12(개)

연관교구 쌓기

F4 공간지각 14

1주차 쌓기나무의 수 15

폴라토 F4_1주차: 쌓기나무의 수

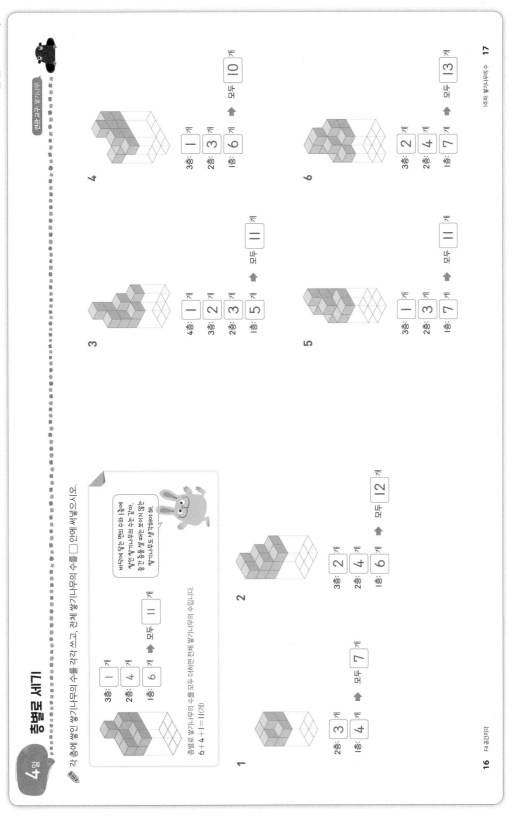

4일 층별로 세기

✏️ 각 층에 쌓인 쌓기나무의 수를 각각 쓰고, 전체 쌓기나무의 수를 ☐ 안에 써넣으시오.

3층: **1** 개
2층: **4** 개
1층: **6** 개
⬆️
모두 **11** 개

층별로 쌓인 쌓기나무의 수를 모두 더하면 전체 쌓기나무의 수입니다.
6+4+1=11(개)

바닥에 닿는 면의 수와 1층에
쌓인 쌓기나무의 수는 같아.
중간 층을 셀 때는 보이지 않는
쌓기나무도 생각해야 해.

1
2층: **3** 개
1층: **4** 개
⬆️
모두 **7** 개

2
3층: **2** 개
2층: **4** 개
1층: **6** 개
⬆️
모두 **12** 개

3
4층: **1** 개
3층: **2** 개
2층: **3** 개
1층: **5** 개
⬆️
모두 **11** 개

4
3층: **1** 개
2층: **3** 개
1층: **6** 개
⬆️
모두 **10** 개

5
3층: **1** 개
2층: **3** 개
1층: **7** 개
⬆️
모두 **11** 개

6
3층: **2** 개
2층: **4** 개
1층: **7** 개
⬆️
모두 **13** 개

연관 교구 쌓기나무

정답 해설

5일 쌓기나무의 수

✏️ 똑같은 모양을 만들기 위해 필요한 쌓기나무의 수를 ☐ 안에 써넣으시오.

자리별로 세기

| 1 | 3 | 1 | 2 |

☐ 8 개

각 자리에 쌓인 쌓기나무의 수를
모두 더하면 전체 쌓기나무의 수입니다.
3+2+1+1=8(개)

층별로 세기

3층: 1개
2층: 2개
1층: 5개

☐ 8 개

층별로 쌓인 쌓기나무의 수를
모두 더하면 전체 쌓기나무의 수입니다.
5+2+1=8(개)

바닥에 닿는 면의 모양을
보고 모아져 있는 쌓기나무가
있는지 생각해야 해.

1
| 2 | 3 | 1 | 4 |
☐ 10 개
2+3+1+4=10(개)

2
☐ 7 개
1+2+4=7(개)

3
☐ 11 개
1+4+6=11(개)

넓고 낮게 쌓여 있으면 층별로, 높고 좁게 쌓여 있으면 자리별로 쌓기나무 수를
세는 것이 좀 더 편리합니다.

4
☐ 12 개
1+2+4+5=12(개)

5
☐ 11 개
1+3+7=11(개)

6
☐ 10 개
1+3+6=10(개)

7
☐ 8 개
1+7=8(개)

8
☐ 12 개
1+4+7=12(개)

9
☐ 19 개
2+2+6+9=19(개)

연산교구-쌓기나무

플라토 F4_1주차: 쌓기나무의 수

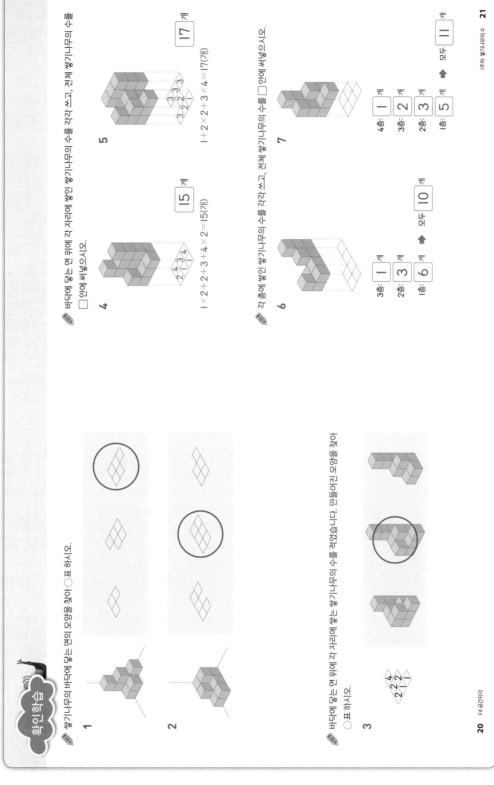

확인학습

✏️ 쌓기나무의 바닥에 닿는 면의 모양을 찾아 ○표 하시오.

1

2

✏️ 바닥에 닿는 면 위에 각 자리에 쌓는 쌓기나무의 수를 적었습니다. 만들어진 모양을 찾아 ○표 하시오.

3

✏️ 바닥에 닿는 면 위에 각 자리에 쌓인 쌓기나무의 수를 각각 쓰고, 전체 쌓기나무의 수를 □ 안에 써넣으시오.

4

2 4 3 4

15 개

$1 \times 2 + 2 + 3 + 4 \times 2 = 15(개)$

5

3 3 3
3 2 1

17 개

$1 + 2 \times 2 + 3 \times 4 = 17(개)$

✏️ 각 층에 쌓인 쌓기나무의 수를 각각 쓰고, 전체 쌓기나무의 수를 □ 안에 써넣으시오.

6

3층: 1 개
2층: 3 개
1층: 6 개
➡ 모두 10 개

7

4층: 1 개
3층: 2 개
2층: 3 개
1층: 5 개
➡ 모두 11 개

정답과 해설

1일 위, 앞, 옆 찾기

쌓기나무로 쌓은 모양을 보고 위, 앞, 옆에서 본 모양을 찾아 선으로 이어 보세요.

쌓은 모양을 위에서 본 모양은 위에서 아래로 내려다 본 모양이에요.

옆에서 본 모양과 위에서 본 모양을 헷갈리지 않도록 주의해요.

쌓은 모양을 위에에서 본 모양은 위에서 아래로 내려다 본 모양이에요.

2일 위, 앞, 옆 그리기

쌓기나무로 쌓은 모양을 보고 '위, 앞, 옆'에서 본 모양을 그려 보아요.

그림과 다르게 그렸다면 주의해야 할 점을 찾아보세요. 주의해야 할 점은 위에서 본 모양과 같아요.

모눈 칸에 그리는 위치는 달라도 그린 모양이 같으면 정답입니다.

3일 쌓기나무로 쌓은 모양(1)

위, 앞, 옆에서 본 그림을 보고 전체 모양을 찾아 ○표 하시오.

위, 앞, 옆에서 본 그림을 쌓기나무로 쌓은 모양이 나타나도록 비교하면서 찾아.

위, 앞, 옆에서 보았을 때 각 줄의 가장 높은 층을 생각하여 찾습니다.

4일 자리별로 쌓기

✏️ 위에서 본 모양입니다. □ 안에 각 자리에 쌓은 쌓기나무의 수를 써넣으시오.

위		
3	1	
	2	2

위	
	2
1	
	2

보이지 않는 부분에도 쌓기나무가 있을 수 있어.

1

위		
3	4	
2	1	

2

위	
	3
1	

3

위	
3	2
1	

4

위	
3	2
	1

5

위	
	3
1	1

6

위		
3	2	1
	2	1

7

위	
	2
2	3

8

위		
3	2	1
	2	1
		1

보이지 않지만 바닥에 놓는 면에 자리가 있으면 그 자리에 최소 쌓기나무 1개가 있는 것입니다.

9

위	
3	2
	2

10

위		
	1	
4	2	2
2	1	

확인학습

쌓기나무로 쌓은 모양을 보고 위, 앞, 옆에서 본 모양을 그려 보시오.

1

모눈 칸에 그리는 위치는 달라도 그린 모양이 같으면 정답입니다.

2 위, 앞, 옆에서 본 그림을 보고 전체 모양을 찾아 ○표 하시오.

3 위에서 본 모양입니다. ☐ 안에 각 자리에 쌓은 쌓기나무 수를 써넣으시오.

4

5 ☐ 안의 수는 각 자리에 쌓아 올린 쌓기나무의 수입니다. 만들어진 모양에 ○표 하시오.

3	2	1
2		
2		

6

	2	
3	1	
	1	

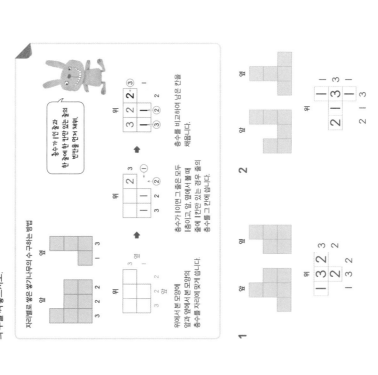

2일 자리별로 쌓기

쌓기나무로 쌓은 모양을 위, 앞, 옆에서 본 그림입니다. □ 안에 각 자리에 쌓은 쌓기나무의 수를 써넣으시오.

3일 쌓기나무의 수(1)

쌓기나무로 쌓은 모양을 위, 앞, 옆에서 본 그림입니다. 전체 모양을 쌓기 위해 필요한 쌓기나무의 수를 □ 안에 써넣으시오.

7 개

위에서 본 모양의 ▨ 안에 각 자리에 쌓은 쌓기나무의 수를 쓴 다음 각 자리의 수를 모두 더합니다.
3+2+1+1=7(개)

1

5 개

1+2+1+1=5(개)

2

8 개

3+2+1+1+1=8(개)

3

8 개

3+1+1+1+2=8(개)

4

8 개

1+3+1+2+1=8(개)

5

7 개

1+2+2+1+1=7(개)

6

11 개

3+3+1+1+3=11(개)

4일 쌓기나무의 수(2)

쌓기나무로 쌓은 모양을 위, 앞, 옆에서 본 그림입니다. 전체 모양을 쌓기 위해 필요한 쌓기나무의 수를 □ 안에 써넣으시오.

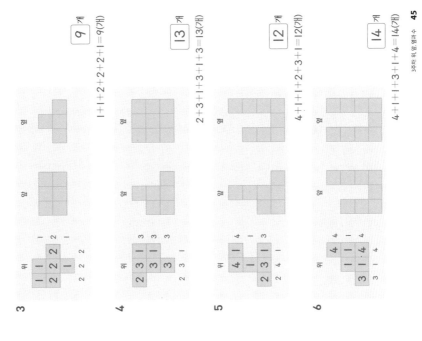

3+2+2+1+1=9(개)

9 개

각 자리에 쌓는 쌓기나무의 수를 알면 전체 모양을 쌓고 하고 전체 수를 구할 수 있어.

1

3+3+1+1+2+1+1=11(개)

11 개

2

1+2+1+3+2+1=10(개)

10 개

3

1+1+2+2+2+1=9(개)

9 개

4

2+3+1+3+1+3=13(개)

13 개

5

4+1+1+2+3+1=12(개)

12 개

6

4+1+1+3+1+4=14(개)

14 개

5일 쌓기나무의 최대, 최소

쌓기나무로 쌓은 모양을 위, 앞, 옆에서 본 그림입니다. 쌓은 쌓기나무의 수가 가장 많은 경우와 가장 적은 경우를 구해 ☐ 안에 써넣으시오.

가장 많은 경우: 7 개

가장 적은 경우: 6 개

구할 수 있는 자리의 수를 구한 다음, 넣은 자리에 들어 갈 수 있는 수를 모두 알아봐.

1

$2+1+2+2=7$(개)
가장 많은 경우: 7 개
가장 적은 경우: 6 개
$2+1+2+1=6$(개)

2

$3+1+2+2=8$(개)
가장 많은 경우: 8 개
가장 적은 경우: 7 개
$3+1+2+1=7$(개)

쌓기나무의 수를 확실히 모르는 경우 그 크기에 놓인 쌓기나무는 최소 1개, 최대 그 줄의 가장 높은 층수만큼 입니다.

3

$3+2+1+2+1=9$(개)
가장 많은 경우: 9 개
가장 적은 경우: 8 개
$3+1+1+2+1=8$(개)

4

$3+3+3+1+1=11$(개)
가장 많은 경우: 11 개
가장 적은 경우: 9 개
$1+3+3+1+1=9$(개)

5

$3+3+1+3+1=11$(개)
가장 많은 경우: 11 개
가장 적은 경우: 9 개
$1+3+1+3+1=9$(개)

6

$3+3+3+3+3=15$(개)
가장 많은 경우: 15 개
가장 적은 경우: 13 개
$3+3+1+3+3=13$(개)

수학이한창

✏ □ 안의 수는 각 자리에 쌓아 올린 쌓기나무의 수입니다. 앞과 옆에서 본 모양을 그려 보시오.

1

위		
2	3	3
1	2	

2

위		
2	1	
4	1	3
2	1	3

✏ 쌓기나무로 쌓은 모양을 위, 앞, 옆에서 본 그림입니다. □ 안에 각 자리에 쌓은 쌓기나무의 수를 써넣으시오.

3

위		
2	1	3
1	1	

2 1 3

4

위		
3	3	3
1	2	2

3 3

✏ 쌓기나무로 쌓은 모양을 위, 앞, 옆에서 본 모양을 보고 전체 모양을 쌓기 위해 필요한 쌓기나무의 수를 □ 안에 써넣으시오.

5

위		
1	3	3
1	1	1
	2	2

1 3 2

$1+3+1+1+2=8$(개) ☐ 8 개

6

위		
2	3	1
2	1	
2	3	1

$2+3+1+2+1=9$(개) ☐ 9 개

✏ 쌓기나무로 쌓은 모양을 위, 앞, 옆에서 본 그림입니다. 쌓은 쌓기나무의 수가 가장 많은 경우와 가장 적은 경우를 구해 □ 안에 써넣으시오.

7

위	
2	2
2	2
2	2

가장 많은 경우: ☐ 8 개
가장 적은 경우: ☐ 7 개

가장 많은 경우: $2+2+2+2=8$(개) 가장 적은 경우: $2+1+2+2=7$(개)

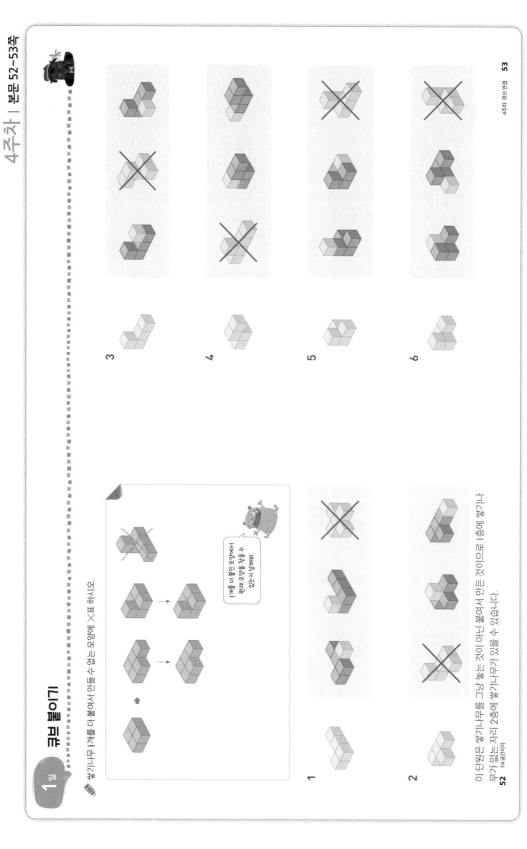

정답과 해설

1일 큐브 연결

쌓기나무 1개를 더 붙여서 만들 수 없는 모양에 ✕표 하시오.

1개를 더 붙인 모양에서 원래 모양을 찾을 수 있는지 살펴봐.

52 F4 공간지각

이 단원은 쌓기나무를 그냥 놓는 것이 아닌 붙여서 만든 것이므로 1층에 쌓기나무가 있을 수 있습니다.

무가 없는 자리 2층에 쌓기나무가 있을 수 있습니다.

53

4주차: 큐브 연결

2일 같은 모양 찾기

✎ 돌리거나 뒤집었을 때 왼쪽과 같은 모양이 되는 것에 ○표 하시오.

아래 두 모양은 다른 모양이야.
돌리거나 뒤집어도 겹쳐지지 않아.

ㄱ자 모양의 가운데 위에
쌓기나무 1개가 있습니다.

ㄱ자 모양에 쌓기나무
2개가 더 있습니다.

ㄱ자 모양의 끝에 쌓기
나무 1개가 더 있습니다.

1

2

3

4

5

6

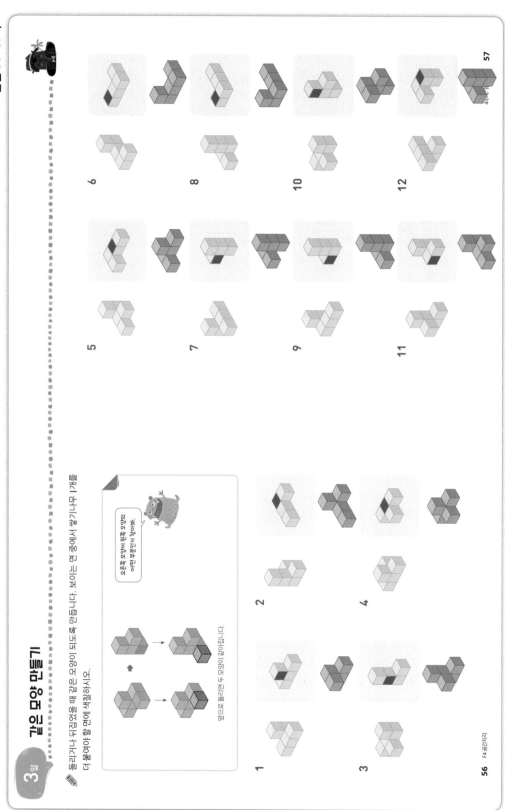

4일

2조각 붙이기

✎ 2조각을 붙여 만들 수 없는 모양에 ✕표 하시오.

숙어진 조각들을 돌리고 나메리돌이다.

1

2

3

4

5

6

5일 조각 구분하기

주어진 두 조각을 붙여 모양을 만들었습니다. 조각을 구분하여 색칠하시오.

만든 모양에서 간단한 조각이 들어갈 수 있는 곳부터 찾아봐.

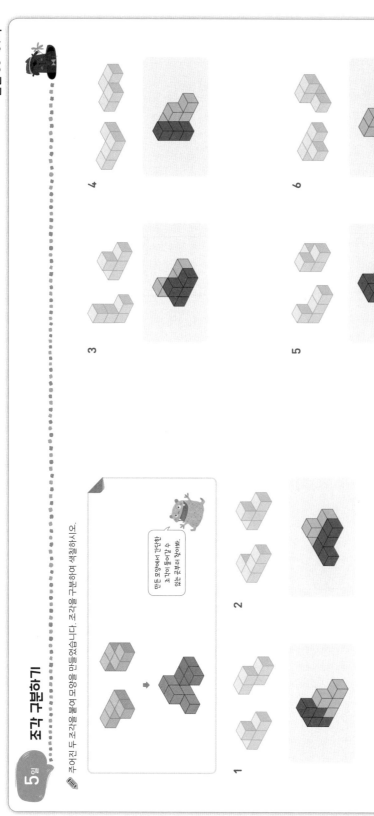

1

2

3

4

5

6

두 조각 중 간단한 조각부터 돌려가며 위치를 찾습니다.

확인학습

✏️ 쌓기나무 1개를 더 붙여서 만들 수 없는 모양에 ✕표 하시오.

1

2

✏️ 돌리거나 뒤집었을 때 같은 모양이 되도록 만듭니다. 보이는 면 중에서 쌓기나무 1개를 더 붙여야 할 면에 색칠하시오.

3

또는

4

✏️ 2조각을 붙여 만들 수 없는 모양에 ✕표 하시오.

5

6

✏️ 주어진 두 조각을 붙여 모양을 만들었습니다. 조각을 구분하여 색칠하시오.

7

8

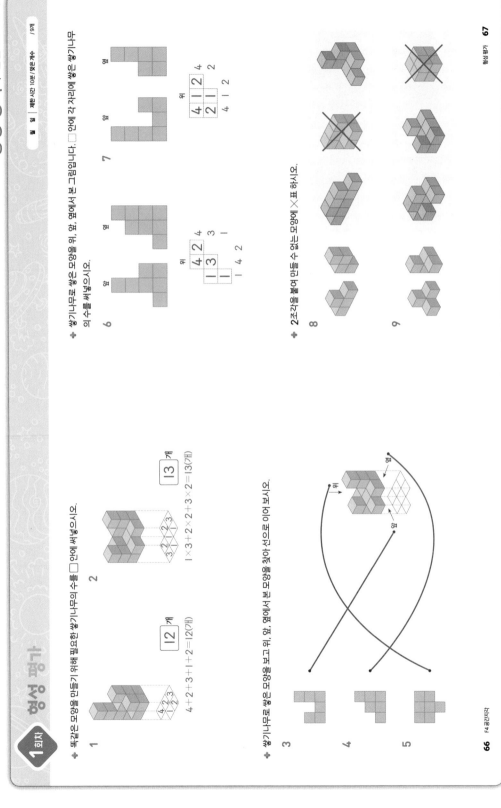

2회차 형성 평가 | 쌓기나무

날짜 | 월 일   제한 시간 10분 / 맞은 개수   / 8개

♣ 바닥에 닿는 면 위에 각 자리에 쌓는 쌓기나무의 수를 적었습니다. 만들어진 모양을 찾아 ○표 하시오.

1

2

♣ 위에서 본 모양입니다. ☐ 안에 각 자리에 쌓은 쌓기나무의 수를 써넣으시오.

3

위		
3	2	1
	2	1
		1

4

위		
	2	2
		1
		1

♣ 쌓기나무로 쌓은 모양을 위, 앞, 옆에서 본 그림입니다. 전체 모양을 쌓기 위해 필요한 쌓기나무의 수를 ☐ 안에 써넣으시오.

5

위
3	2	2
1		1
3		

3 2 2

앞   옆

$3+2+2+1+1+1=10(개)$ **10** 개

6

위
3	4	1
1		1
3	4	2

3 4 1

앞   옆

$3+4+1+1+1+2=12(개)$ **12** 개

♣ 돌리거나 뒤집었을 때 같은 모양이 되도록 만듭니다. 보이는 면 중에서 쌓기나무 1개를 더 붙여야 할 면에 색칠하시오.

7

8

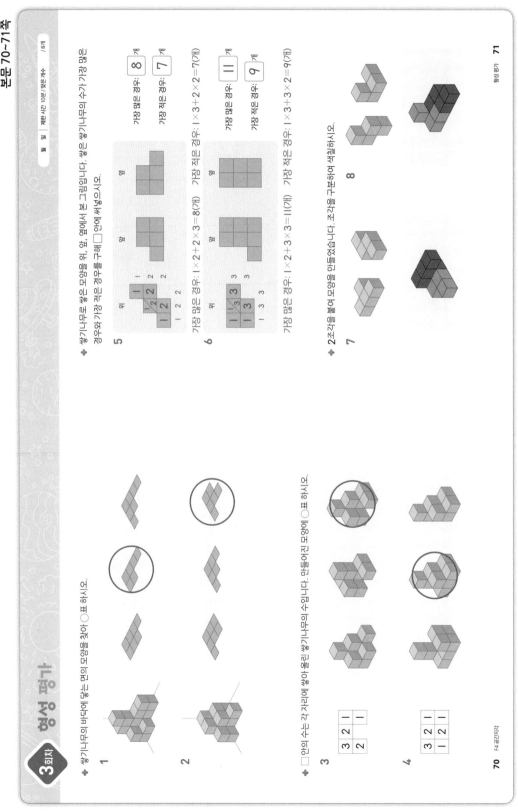

정답과 해설

3회차 영역별 평가

❖ 쌓기나무의 바닥에 닿는 면의 모양을 찾아 ○표 하시오.

1

2

❖ □ 안의 수는 각 자리에 쌓아 올린 쌓기나무의 수입니다. 만들어진 모양에 ○표 하시오.

3

| 3 | 2 | 1 |
| 2 | | |

4

| 3 | 2 | 1 |
| 1 | 2 | |

❖ 쌓기나무로 쌓은 모양을 위, 앞, 옆에서 본 그림입니다. 쌓은 쌓기나무의 수가 가장 많은 경우와 가장 적은 경우를 구해 □ 안에 써넣으시오.

5

가장 많은 경우: 8 개

가장 적은 경우: 7 개

6

가장 많은 경우: $1 \times 2 + 2 \times 3 = 8$(개)   가장 적은 경우: $1 \times 3 + 2 \times 2 = 7$(개)

가장 많은 경우: 11 개

가장 적은 경우: 9 개

가장 많은 경우: $1 \times 2 + 3 \times 3 = 11$(개)   가장 적은 경우: $1 \times 3 + 3 \times 2 = 9$(개)

❖ 2조각을 붙여 모양을 만들었습니다. 조각을 구분하여 색칠하시오.

7

8

정답과 해설

5회차 형성평가

월 일 | 제한 시간 10분 / 맞은 개수 /6개

+ 바닥에 닿는 면 위에 각 자리에 쌓인 쌓기나무의 수를 각각 쓰고, 전체 쌓기나무의 수를 □ 안에 써넣으시오.

1. $\boxed{11}$ 개
$4+3+1+2+1=11$(개)

2. $\boxed{14}$ 개
$1\times2+2\times3+3\times2=14$(개)

+ 위, 앞, 옆에서 본 그림을 보고 전체 모양을 찾아 ○표 하시오.

3.

+ 쌓기나무로 쌓은 모양을 위, 앞, 옆에서 본 그림입니다. 전체 모양을 쌓기 위해 필요한 쌓기나무의 수를 □ 안에 써넣으시오.

4. $\boxed{7}$ 개
$1+1+3+1+1=7$(개)

5. $\boxed{9}$ 개
$3+2+1+1+2=9$(개)

+ 돌리거나 뒤집었을 때 왼쪽과 같은 모양이 되는 것에 ○표 하시오.

6.

Memo

Memo

"Let no one untrained in geometry enter.

"기하학을 모르는 자, 이 문을 들어오지 말라."